दीपक की दीवाली

Deepak's Diwali

Divya Karwal
Illustrated by Doreen Lang

Hindi translation
by Divya Mathur

Mantra Lingua

दीवाली के एक रात पहले, दादी ने दीपक को राम और उनकी पत्नी सीता की कहानी सुनाई । दादी ने उसे राक्षसों के राजा, रावण और उसने सीता को कैसे चुराया, के बारे में बताया ।

The night before Diwali, Dadi told Deepak the story of Rama, and his wife, Sita. Dadi described the demon king, Ravana, and how he stole Sita away.

“रावण, अपने दस सिरों और बीस चमकती आँखों के साथ,” दादी हौले हौले बोल रहीं थीं । दीपक बिस्तर में दुबक गया ।

“Ravana, with his ten heads and twenty flashing eyes,” Dadi continued, in a hushed voice. Deepak hid under the covers.

सुबह नाश्ते के समय भी दीपक कहानी के बारे में ही सोचता रहा ।
पिता ने कहा, “परेशान मत हो, दीपक, तुम तो जानते हो न कि अंत में राम और उनके मित्र वीर बन्दर, हनुमान, रावण को हरा देंगे ।”

At breakfast, Deepak couldn’t stop thinking about the story.
“Stop worrying, Deepak,” said Dad. “You know Rama and his friend Hanuman, the monkey warrior, beat Ravana in the end.”

दीपक को कुछ राहत मिली, पर तभी पिता ने बताया कि वह शाम की पार्टी के लिए पटाखे नहीं खरीद पाए थे । दीपक के लिए तो दीवाली के दिन पटाखे चलाना सबसे मज़ेदार बात है ।

Deepak felt a bit better, until Dad told him that he hadn't been able to buy any sparklers for the party that evening. Sparklers were Deepak's favourite part of Diwali.

"दीपक, क्या बात है?" स्कूल जाते समय उसके प्रिय मित्र, टिम, ने पूछा ।
"ये दीवाली तो सबसे बुरी रही," दीपक ने आह भरी । "डैड को पटाखे नहीं मिले, फेयरी लाइटस भी काम नहीं कर रहीं, और तो और," वह फुसफुसा के बोला, "मुझे लगता है कि राक्षसों का राजा, रावण, मेरे पीछे पड़ गया है ।"

"What's wrong Deepak?" asked his best friend, Tim, on the way to school.
"It's the worst Diwali *ever*," Deepak sighed. "Dad couldn't get any sparklers, the fairy lights aren't working and, even worse," he whispered, "I think Ravana, the demon king, is after me."

“ये हंसने की बात नहीं है,” टिम ने अपनी हंसी दबाई तो दीपक ने कहा । “वह यहीं कहीं है ।” पर जब उन्होंने पीछे मुड़ कर देखा तो वहाँ कुछ न था ।
“आओ बच्चों, हमें देर हो जाएगी,” माँ बोलीं ।

“It’s not funny,” said Deepak, as Tim tried to keep a straight face. “He’s just there.” But when they looked over their shoulders they couldn’t see anything.
“Come on boys, we’ll be late,” said Mum.

“क्या रावण अब भी तुम्हारा पीछा कर रहा है?” टिम ने मुस्कुराते हुए पूछा ।
“मुझे दिखाई नहीं दे रहा ।” पीछे देखते हुए दीपक बोला ।
दीपक की ऐसी ही कई गप्पों का आदि टिम जानता था कि दीपक दुखी था ।
“परेशान मत हो, दीपक, हमारे पास गाइ फौक्स की रात के लिए बहुत सारे पटाखे रखे हैं जो तुम चाहो तो ले सकते हो ।”

“Is Ravana still chasing you?” said Tim, smiling.
“I can’t see him,” said Deepak, looking over his shoulder.
Tim was used to Deepak’s wild stories, but he could see he was upset. “Don’t worry Deepak, we’ve got lots of sparklers ready for Guy Fawkes Night, you can borrow some if you like.”

"धन्यवाद, टिम," दीपक ने कहा, "मैं माँ से कहूँगा कि इस साल स्कूल की पार्टी के लिए वह तुम्हारे लिए एक बेहद अच्छी पोशाक बना दें । मैं समुद्री डाकू बन कर जा रहा हूँ ।" अपनी माँ की बनाई पोशाकों पर दीपक को गर्व था । "तुम क्या बनकर जा रहे हो?"
"मुझे लगता है कि मैं रौबिन हुड बन कर जाऊँगा," टिम ने कहा ।

"Thanks, Tim," said Deepak. "I'll ask Mum to make you the best costume ever for the school party this year. I'm going as a pirate." Deepak was proud of his mum's costumes. "Who are you going to be?"
"I think I'll be Robin Hood," said Tim.

दीपक को घर वापिस आते समय रावण कहीं नहीं दिखाई दिया और दरवाज़े के बाहर सुन्दर सी बनी रंगोली पर ध्यान से पांव रखते समय तो वह उसे बिल्कुल भूल ही गया था, जिसे कल रात को उसने और माँ ने मिलकर मेहमानों के स्वागत के लिए बनाया था ।

There was no sign of Ravana on Deepak's way home, and he had nearly forgotten about him as he stepped carefully over the beautiful Rangoli patterns on his doorstep. He and Mum had made them the night before to welcome the guests.

दरवाज़े पर पांव पोंछने की दरी के ऊपर, दीपक को अपने नाम के तीन सुन्दर रंग बिरंगे लिफ़ाफ़े मिले । ये दीवाली के कार्ड थे जो उसे नानी, नाना और उसके चचेरे और ममेरे भाई बहनों ने भारत से भेजे थे ।

On the doormat, Deepak found three colourful envelopes addressed to him. They were Diwali cards from Nani and Nana and his cousins, sent all the way from India.

रसोई से आती स्वादिष्ट सुगन्ध से दीपक के मुंह में पानी भर आया । समोसे और पीले रंग के गोल गोल मीठे लड्डू दीपक को बहुत पसन्द हैं ।
"हेलो माँ, हेलो दादी," लड्डुओं की ओर हाथ बढ़ाता दीपक बोला ।
"ज़रा रुको तो ।" माँ ने कहा । "शाम को भगवान को चढ़ाने से पहले हम ये लड्डु नहीं खा सकते । अभी तुम एक सैंडविच खा ला ।"

The delicious smells coming from the kitchen made Deepak's mouth water.
There were samosas and yellow sweet balls called ladoos, Deepak's favourite.
"Hi Mum, hi Dadi," said Deepak, as he reached for a ladoo.
"Hold on!" said Mum. "We can't eat these ladoos before we offer them to the gods this evening. Have a sandwich for now."

पटाखों के बारे में बताते हुए दीपक ने माँ पूछा कि क्या टिम और उसके पिता शाम को उनके साथ समय बिता सकते हैं.
"शायद इस साल तुम्हें कुछ और पटाखे मिल जाएं ।" पिता ने आँख दबाते हुए कहा.
"और आज रात के लिए हमारे पास कुछ नई फ़ेयरी लाइटस भी हैं ।"
अब जाकर कहीं दीपक को लगा कि शायद सब कुछ ठीक रहेगा ।

Deepak asked if Tim and his dad could spend the evening with them and explained about the sparklers.
"You'll have extra sparklers this year," said Dad with a wink. "And we've got some new fairy lights for tonight."
Perhaps things wouldn't be so bad after all.

दीपक ने जल्दी से कुर्ता पाजामा पहना और दीपक जलाने में माँ और दादी की सहायता करने लगा । उन्होंने सारी खिड़कियों में और बाहर की दहलीज़ पर दीपक पर रख दिए थे पर दीपक थे कि बुझे ही चले जा रहे थे ।

Deepak quickly changed into the traditional Kurta-Paijama, and helped Mum and Dadi prepare the oil lamps. They put one on every windowsill and at the front door. But the lamps kept blowing out.

“ये सब रावण की करामात है,” दीपक ने कहा ।
“आज रात बहुत हवा चल रही है न,” दीपक, माँ ने कहा । “आज हम दरवाज़े और खिड़कियाँ खुली छोड़ देंगे ताकि लक्ष्मी देवी बुरी आत्माओं को दूर रखें, अब परेशान होने की कोई बात नहीं है ।”

“It’s Ravana!” said Deepak.
“It’s just a windy night, Deepak,” said Mum. “We’ll leave the doors and windows open for goddess Lakshmi to keep bad spirits away, so no more worrying!”

जल्दी ही पूजा का समय हो गया । माँ ने राम, लक्ष्मण, सीता और हनुमान की तस्वीरों के आगे दीपक जलाए । रोली और पानी मिलाकर उन्होंने टीका बनाया और मंगल कामना करते हुए सबके माथों पर तिलक लगाया ।

Soon it was time to pray. Mum lit a lamp in front of a picture of Rama, his brother Lakshman, Sita, and Hanuman. She prepared the tika by mixing special red powder with a few drops of water. She then carefully put a tika on everyone's forehead for good luck.

सारे परिवार ने भगवान को लड्डु चढ़ाए । तब सबने मिलकर राम की प्रशंसा में आरती गाई और सबको खुशी और शांति देने के लिए उनका धन्यवाद किया । दीपक से और रुका नहीं गया और उसने झट से एक स्वादिष्ट मिठाई उठा के निगल ली ।

The family offered ladoos to the gods. Then they sang an Aarti praising Rama and thanking him for blessing everyone with happiness and peace. Deepak couldn't resist any more and gobbled down one of the delicious sweets.

“चलो, नानी और नाना को फ़ोन करें,” पिता ने सुझाया । “भारत में तो अब आधी रात होगी पर वे अभी तक जाग रहे होंगे ।”

“Let’s call Nani and Nana,” suggested Dad. “It’s nearly midnight in India but they’re staying up especially.”

“हैप्पी दीवाली, नानी, दीवाली मुबारक हो, नाना”
“तुम्हें भी बेटा,” नाना और नानी ने जवाब में कहा और उन्हें आने वाले नए साल के लिए शुभकामनाएँ दी । दीपक को उनकी बहुत याद आती है पर माँ ने वादा किया है कि वे सब दिसम्बर में भारत जाएंगे ।
तभी दरवाज़े पर लगी घंटी बजी ।

“Happy Diwali, Nani! Happy Diwali, Nana!”
“And to you, Beta,” his grandparents replied and they wished him happiness for the year ahead. Deepak missed them, but Mum promised that they would visit India in December.
Just then the doorbell rang.

"हैप्पी दीवाली" आंटी और अंकल ने कहा । हाल में बहन तारा और सभी एक दूसरे के गले मिले । आंटी क्रीम के रंग की मिठाई ले कर आईं थीं, जो हीरे के आकार की थी और जिसपर चान्दी के वर्क लगे थे (कतली) ।
टिम भी आया था । वह और उसके डैड एक थैला भी कर पटाख़े लाए थे. दीपक पटाख़े चलाने और फ़ोड़ने के लिए बेचैन था ।

"Happy Diwali!" said Aunty and Uncle and cousin Tara, and everyone hugged in the hall. Aunty brought a box of cream coloured sweets, shaped like diamonds with silver paper on top. Tim came too. He and his dad brought a bag full of sparklers. Deepak couldn't wait to set them crackling and fizzing.

भोजन बहुत स्वादिष्ट था, चने और पनीर की सब्ज़ी, पूरी और ज़ीरे में छुंके चावल और मज़ेदार मीठा हलवा ।
"मुझे लगता है कि रावण आज रात बदला लेकर ही रहेगा ।" दीपक ने चिढ़ाया ।
"मैं सोचता हूँ कि वह सीता के बदले तारा को चुरा ले जाएगा ।"
"मैं भी देखती हूँ कि वह मुझे कैसे ले जाता है ।" तारा ने गुस्से में भर कर कहा ।
"दीपक, अपनी बहन को तंग मत कर," मां ने कहा ।
"मुझे डर नहीं लगता," तारा बोली, "मैं तो उसके दसों सिर काट डालूंगी ।"
"मुझे नहीं लगता तारा के सामने रावण टिक पाएगा," हंसते हुए डैड बोले ।

The meal was delicious, with platefuls of chickpea curry, paneer, fried puree bread, mounds of cumin rice and yummy halwa pudding.
"I think Ravana is going to take his revenge tonight," Deepak teased.
"I think he's going to steal Tara to make up for losing Sita."
"I'd like to see him try," said Tara fiercely.
"Deepak! Stop trying to frighten your cousin," said Mum.
"I'm not scared!" said Tara, "I'd chop all ten of his heads off."
"I don't think he'd stand much of a chance against Tara," laughed her dad.

रात के भोजन के बाद, माँ ने बताया कि दीवाली पर लोग दीपक क्यों जलाते हैं ।
"जब राम और हनुमान सीताजी को रावण से छुड़ा कर लाए तो लोगों ने मिट्टी के दिये जला कर बुराई पर अच्छाई की जीत का उत्सव मनाया ।"
"तो मेरे नाम का मतलब है उत्सव," दीपक ने गर्व से कहा ।
"हाँ, या फिर मिट्टी का दिया," तारा ने कहा तो टिम को हंसी आ गई ।
"आओ बच्चो अब पटाखे चलाने का समय हो गया है!" उसके डैड ने बाग से आवाज़ लगाई ।

After dinner, Mum explained why people light lamps at Diwali. "When Rama and Hanuman rescued Sita from Ravana, the people burned clay lamps, called deepaks, to celebrate the triumph of good over evil."
"So my name means celebration," said Deepak proudly.
"Yes, or just a lump of clay," said Tara, making Tim laugh.
"C'mon kids, it's time for sparklers!" Dad called from the garden.

अन्धेरे में जब पटाखे़ फूट रहे थे तो दीपक, टिम और तारा को लगा जैसे कि वे हनुमान और रावण की लड़ाई देख रहे हों ।

As their sparklers sputtered and crackled in the dark, Deepak, Tim and Tara were sure they could see Hanuman fighting Ravana.

“हनुमान आओ!” वे सब चीखे ।
“चलो हम सब उनकी सहायता करते हैं!” तारा चिल्लाई, पटाखे चलाते और फुलझड़ियाँ घुमाते वे मानो अन्धेरे पर वार कर रहे थे ।

“C’mon Hanuman!” they all yelled.
“Let’s help!” cried Tara, as they twirled their sparklers, attacking the night.

लड़ाई के बाद, थके हुए विजेताओं को लड्डु और बर्फ़ी मिली और तब तक घर जाने का समय हो गया था। दीपक ने माँ से पूछा कि क्या वह टिम के लिए रौबिन हुड की पोशाक बना देंगी पर टिम ने सिर हिला कर ना कर दी।

After the battle, the victors had ladoos and burfis to warm themselves up, and then it was time to go home. Deepak asked Mum if she would make a Robin Hood costume for Tim, but Tim shook his head.

“मुझे नहीं लगता कि मैं अब रौबिन हुड बनना चाहता हूँ,” वह बोला ।
“अच्छा टिम,” माँ ने पूछा, “तुम जो चाहोगे, मैं तुम्हारे लिए वही पोशाक बना दूंगी ।
मुझे तुम बस बता देना कि तुम क्या बनना पसन्द करोगे ।”

“I’m not sure I want to be Robin Hood now,” he said.
“Well Tim,” said Mum, “I can make any costume you like. Just let me know who you want to be.”

"मैं हनुमान हूँ, वीर बन्दर!" टिम ने कहा ।
"और मैं हूँ राम!" दीपक ने हंसते हुए कहा ।

"I'm Hanuman, the monkey warrior!" said Tim.
"And I am Rama!" laughed Deepak.

Glossary

Lakshmi

Beta

Dadi

Burfi

Tika

Ladoos

Kaju Katri

Nani

Rangoli patterns

Kurta-paijama

Samosa

Nana

Divas

Aarti

Recipes

Mango Lassi

Ingredients

175ml yogurt
150ml milk
1 peeled chopped mango
1 tablespoon sugar
1 tablespoon honey
8 ice cubes
A little ground cardamom or some chopped pistachio nuts (if you like)

Method

1. Put all the ingredients in a blender and blend for two minutes or until smooth. If you don't have a blender you can use a whisk and add the ice later.
2. Strain through a sieve to remove any large ice chunks and big pieces of mango.
3. Pour into glasses and serve with a dusting of ground cardamom or pistachio nuts.

Halwa

Ingredients

100g sugar
200g water
2 tablespoons unsalted butter
300g carrots, grated
300ml full fat milk
½ tsp powdered cardamom
1 tablespoon of cashew nuts, chopped finely

Method

1. Mix the sugar with double the quantity of water in a heavy saucepan and bring to the boil.
2. Reduce heat and cook until the syrup has thickened slightly. Take off the heat and set aside.
3. In the meantime, heat the butter in a heavy-bottomed saucepan and add the carrots, stirring occasionally to prevent them from sticking.
4. After 5 minutes add the sugary syrup and stir until blended.
5. Pour in the milk, reduce the heat and cook until the carrots are mushy, the milk has been soaked up, and the mixture has turned brown.
6. Take off the heat, mix in the cardamom, and serve warm, decorated with the nuts. Halwa is delicious served with plain yogurt or vanilla ice-cream.

Cooking equipment can be dangerous, so make sure you are always with an adult when preparing food.

Kheer

Ingredients *Method*

Ladoos

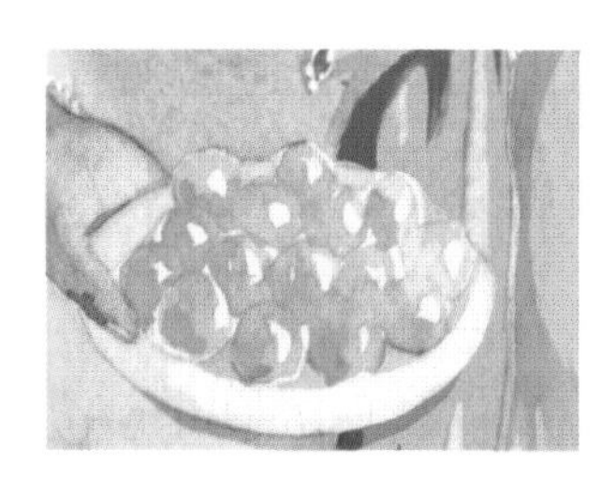

Ingredients *Method*

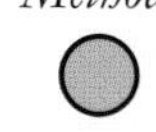

Story

Rangoli Patterns

Here are some Rangoli patterns, like the ones that Deepak made for his house.
You can find some special grid paper on our website, *www.mantralingua.com*, so that you can copy these or make your own patterns.